KB063568

R e
S e e
P i c

Re·See·Pic Vol.4

1판 1쇄 인쇄 2018년 4월 30일 | **1판 1쇄 발행** 2018년 5월 10일

글·사진 온동훈 James 조장희 Saul 주한이 권진희 허진
기획 허진 | **디자인** 문지연 | **표지 사진** 조장희

펴낸이 허진 | **펴낸곳** 레시픽 | **등록** 2017년 4월 20일(제2017-000044호)
주소 서울시 중구 삼일대로4길 19, 2층 | **전화** 070-4233-2012
이메일 reseepics@gmail.com | **인스타그램** instagram.com/reseepic

ISBN 979-11-960943-4-8 04660

R E · S E E · P I C

Vol.4

CONTENTS

#1_ 온동훈_ Tochal with Hassan
توچال با حسن

#2_ James_ Bangkok, Thailand

#3_ 조장희_ Tokyo, April

#4_ Saul_ holy? holy!

#5_ 주한이_ 연날리는 아이들

#6_ 권진희_ Till After Sundown

#7_ 허진_ Segovia

SUN

#1

Tochal with Hassan

توچال با حسن

온동훈
اون دونگهون

Life with Hassan

자기를 찍는 줄 알고 카메라 앞에 선 하산

حسن، ندانستن عکس خودش نبود

시모네의 말을 알아듣지 못하는 하산

حسن، نفهمیدن گفته سیمونه

Tochal Day

어디 가는지는 몰라도 친구들과 함께 나와 뿌듯한 하산

حسن، خوشحال شده از بیرون آمدن با دوستانش
حتّی او ندانست بود که داشتیم به کجا رفته بودیم

예상치 못한 산행에 지친 하산

حسن، خسته شده از کوه نوردی غیر منتظره

Climbing the Tochal

지친 하산을 태워 보낸 케이블카

تله کابین که حسن را فرستاد

کوه نوردی توچال

하산 없는 평화로운 산행

کوه نوردی راضی بدون حسن

On the Tochal

추운 산 위에서 홀로 기다리다가 우리를 다시 만나 기쁜 하산

حسن، خوشحال شده به خاطره جمع شدن با دوستانش
بعد از منتظر تنهایی چند ساعت روی توچال

함께 케이블카를 타고 내려가며 신난 하산을 바라보는 시모네

سیمونه، خیره شده به حسن پر هیجان
در حالی که باهم با تله کابین پایین رفته بودیم

Again, Life with Hassan

우리

ما

دوباره، زندگی با حسن

메흐머니와 하산

حسن با مهمانی

-METER

#2

Bangkok, Thailand

한 순간도 운명이 아닌 게 없다.
모든 것은 꽤나 이어져 있다.

삶도 그렇다.

James

새로움을 찾아 떠난 여행자도,

익숙함으로 돌아오는 여행자도,

모두가 이곳을 지난다.

카오산 로드(Khaosan Road)에는 여행이 가진 힘이 있다.

특별할 것은 없는 날이었다.

그녀의 삶을 조금이나마 담고 싶었다.

평온했다.

그리고 온전했다.

그래서일까,

왠지 기묘한 이야기가 하나 시작될 것만 같았다.

만나고 또 헤어지고,

아쉬움이 또한 반가움이라는 것을 그들 모두는 안다.

삶과 생의 찰나(刹那),

삶의 무게는 결코 동질하다.

선장은 그를 둘러싼 바쁜 일상도,
황홀한 석양도, 마치 안중에 없는 듯이

그저 묵묵히 강물에 시선을 보낼 뿐이었다.

거리(Distance)에서

그들의 거리(Street)가 자꾸만 눈에 들어왔다.

같지만 다르고,
다르지만 또 같다.

SAME SAME,
BUT DIFFERENT.

저녁녘의 람부뜨리 거리에 처음 발을 내딛으면
가장 눈에 띄는 것은 아마도 초입(初入)의 풍등이 아닌가 싶다.

한낮의 무더위를 식히며 살랑바람에 흔들리는
형형색색의 풍등이 반갑게 여행자들을 맞이한다.

뭇 여행자들의 감성을 유혹하며 느긋한 자태를 취한다.

지척에 거주지를 두었는데도
꼭 이 풍등이 보고 싶어 매일 밤만 되면 거리를 나섰다.

항상 그 자리에 있는 것이 좋았다.

속삭임과도 같은 특유의 살랑댐이 좋았고,
무엇보다 풍등이 스스로 사람들의 시선을 즐기는 듯했다.

여느 날 느긋한 순찰을 마치고 집에 돌아오는데
그녀가 수줍은 듯 반갑게 온몸을 흔들거렸다.

결국 유혹에 못 이기고
가방에서 카메라를 꺼내 한 컷을 찍었다.

이따금 사진을 꺼내 볼 때면 그 거리에서,
그녀는 언제나 행복하게 미소 짓고 있는 듯하다.

#3

Tokyo, April

4월의 도쿄,
무지개 같았던 그 날들.

조 장 희

기도했습니다.

그런데 역시 이루어지지 않네요.
간절하지 않아서일까요?

이루어지지 않을 걸 알지만,
또 기도해 봅니다.

언젠간 이루어지길 바라며…….

나무 같은 사람이 되고 싶었습니다.
언제나 같은 곳에 있고,
쉴 수 있는 그늘을 만들어 줄 수 있는
그런 사람이 되어 주고 싶었습니다.

꽃 같은 사람이 되고 싶었습니다.
좋은 향이 나고,
바라보면 기분이 좋아져 웃음이 나오는
그런 사람이 되어 주고 싶었습니다.

늘 그곳에 있고,
보는 것만으로도 좋아지는,
그런 사람이 되고 싶었고,
그런 사람이 되어 주고 싶었습니다.

그런데,
참……
쉽지 않네요.

혼자 걷고 싶지 않았습니다.

혼자 걷게 하고 싶지 않았습니다.

그런데

혼자 걷고,

혼자 걷게 만들었습니다.

무엇이 문제였을까요?

온통 핑크빛이었습니다.
매일 매일이 그랬습니다.

이래도 되나?
싶을 정도로
마냥 좋고 행복했습니다.

좋았고,
행복했던 기억이 되었네요.

바라보는 게 좋았습니다.

눈의 깜빡임,
입술의 움직임,
얼굴의 미소,
그리고 수많은 미세한 떨림.

그 하나하나가 좋았습니다.

얼굴을 마주하고
바라보는 게 좋았습니다.

마주치는 눈이 좋았고,
눈동자에 비치는 내가 좋았고,
동시에 올라가는 입꼬리가 좋았고,
같이 미소 짓는 게 좋았습니다.

그 순간순간이 설렜습니다.

그 하나하나
그 순간순간이
좋았었고, 설레었습니다.
그래서 그저 바라보는 게 좋았나 봅니다.

academyhills

무지개 같았던 그 날들.

시작을 위한 끝. FIN.

#4

holy? holy!

Saul

마카오의 첫 인상은 향신료와 화려한 간판들

하지만
나의 마지막 기억은 성당과 사원에서 만난
삶에 대한 기원의 것들이었다.

拜太歲
請內進
PHILIPS

홍콩은

살아 숨 쉬는 신의 도시다.

홍콩은 그 신에게 비는 사람들의 기원으로 받쳐져 있다.

거리를 걷다가 느껴지는 향.

그리고 거리에서 만나는 다양한 신들의 모습.

그 안에 나는 있다.

#5

연날리는 아이들

주한이

0291 2624282
0291 2546176
9414802800
829024282

आपका हार्दिक स्वाग
नथमल
फैन्सी राखिया
फोन : 98290-27481, 2653640
OPP. MAKUDWAR JEWELLERS
VIJAY RESTAU

VINAY
ELECTRICAL
ACCESSORIES

बालाजी
मुंग दाल के स्प.बड़े

조드푸르는 파란색 도시다.

조드푸르가 파란색 도시인 이유는 여러 가지가 있다.
카스트 제도하에서 귀족들이 자기를 나타내기 위해 집을 파란색으로 칠했으며, 도시가 사막 한가운데 위치해 있어 파란색을 사용하여 빛을 반사해 온도를 낮춰주는 이유도 있으며, 인디고블루의 원료가 되는 풀의 산지가 근처 남부 지역에 있어 파란색을 쉽게 접할 수 있으며, 힌두교에서 제일 인기 많은 신인 크리슈나가 파란색인 이유도 있다.

인도 남부 지역에서 유래된 파란색은 유럽과 중국에 영향을 끼쳤으며, 오늘날 남녀노소 전 세계 사람이 좋아하는 색이 되었다.

파랑은 환상적이고 매력적이며 안정을 가져다주고 꿈을 꾸게 하는 말이 되었다.

JMC
W 35
P 164

HARE KRISHNA
& RESTAURANT

SUN SHINE
GUEST HOUSE &
ROOF TOP RESTAURANT

LIC
NCR

#6

Till After Sundown

권진희

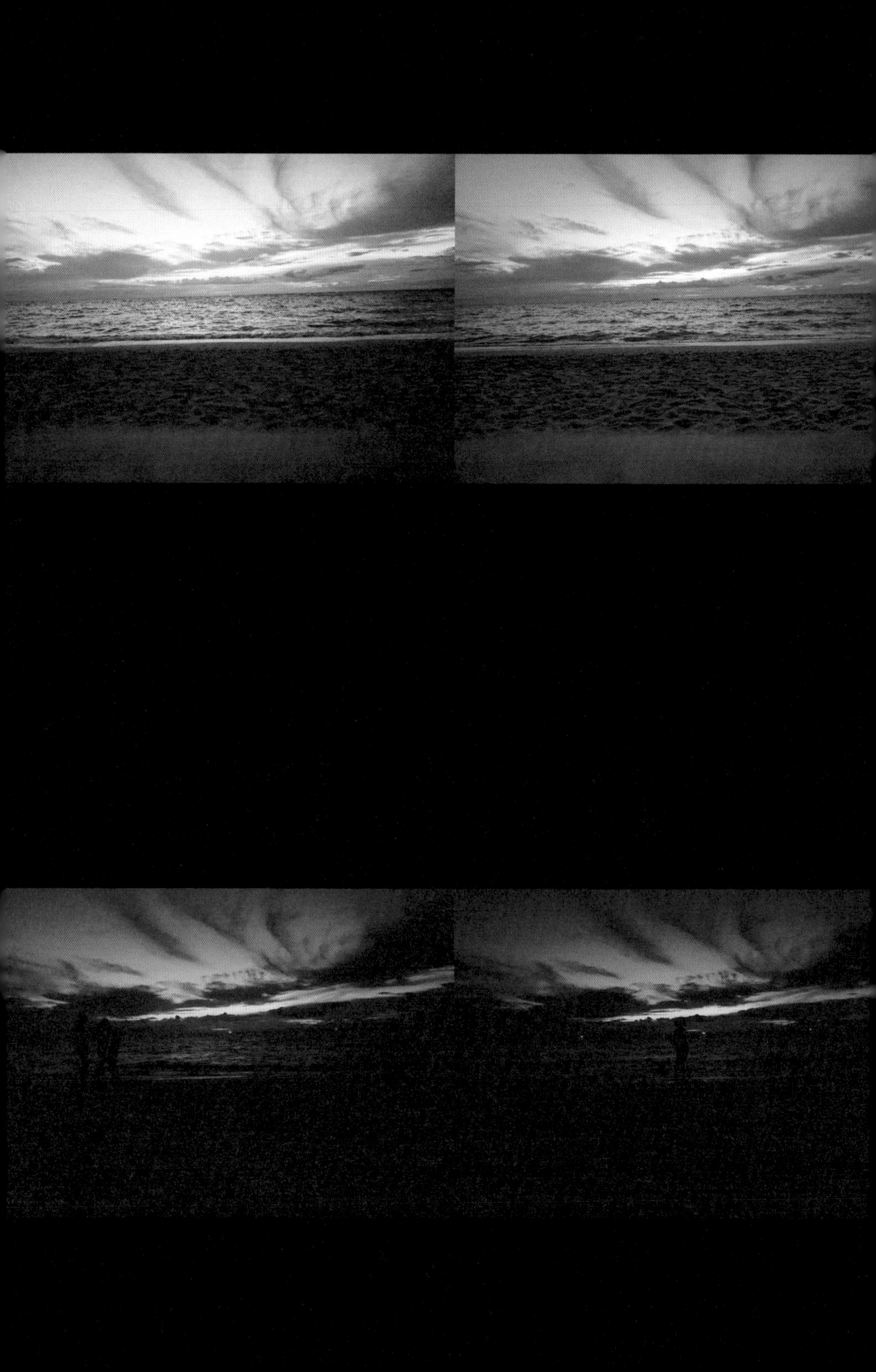

그 섬에서의 하루는,

일몰을 기다려 맞이하고,
다시 내일 올 일몰을 기다리는 일의 연속이었다.

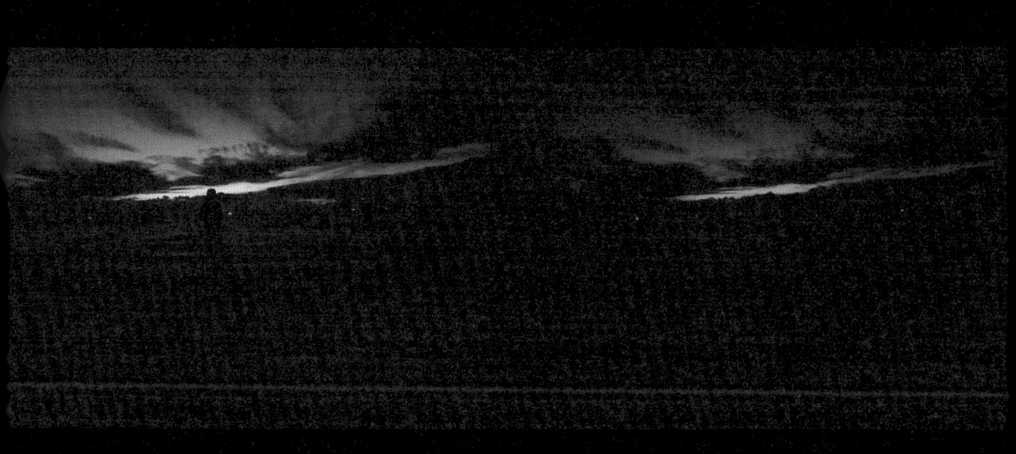

그 날들 중 유독 바다가 짙고,

파도가 거칠었던 날을 녹음한 일이 있다.

이후로 나는 언제든 바다를 들을 수 있었고

파도의 이중주를 들을 수도 있었다.

이중주는 영원할 돌림노래 같기도 했고

서로가 서로의 메아리 같기도 했다.

그 이중주를 듣고 있노라면
　시간은 먼 과거까지 되감아지곤 한다.

되감긴 시간 끝에는
파랗게 젊은 엄마의 긴 머리카락이 바람에 나부끼고 있다.

그 겨울바다에서
수면의 반짝임을 묻던 내게 엄마는 답했었다.

그것은 밤 동안 하늘에 떠 있던 별들이
낮 동안 물가로 내려와 쉬기 때문이라고.
그 때, 엄마는 젊었었다.

또,

다른 언제인가
노을의 붉음을 묻던 내게 엄마는 답했었다.

일몰은 낮과 밤이 서로를 만나는 시간이라고
그런데 그만 두근거리는 마음을 지상으로 흘린 것이 노을이라고.
그 때, 엄마는 참 젊었었다.

어떤 날의 일몰은

구름 뒤에서 그저 검푸르게 꺼져버리고,

또 어떤 날의 일몰은
예기치 못한 색의 변화로 하늘의 깊이를 짐작하게 한다.

나는 그 어느 날에나
지나온 날들을 되짚어 걷는다.

나의 삶이 희미하게나마 익숙하고 반가운 그곳으로,
낯설지만 발걸음을 내딛어보고 싶은 그곳으로
흐를 수 있기를 바라며.

#7
Segovia
허진

눈앞에 아른거리는
아침햇살에 잠이 깨어
창 밖을 바라본다.
길게 뻗어 있는 그림자 사이로
출근하는 사람들의 발걸음이 바쁘다.

그림자의 끝에는 아쿠에둑토(로마 수도교)가
도심과 자연을 이어주고 있다.

이천 년의 세월 때문일까?
거대한 인공물은 오히려 자연물에
더 가까워진 것 같다.

3 EUROS
2X5 EUROS
LARA ADRIAN
CHRISTIAN
VIDA
CARLOS SALAS
DEAN R KOONTZ

1/320초

그녀를 사진에 새겨 넣은

짧은 시간

잊지 않을 것만 같던 기억은 어느새 희미해졌고,
찰나의 빛만이 기록되어 오랜 시간 잠들어 있었다.
사진과 글과 기억의 간극은 지나간 시간만큼이나 벌어졌지만,
대부분은 추억의 바구니에 함께 담긴다.

하지만 그때 우린 추억 이외의 다른 것을 쫓아 걷고 또 걸었다.

CERRADO

이 길의 끝에서 마주했던 건

좁고 얕은 작은 수로,

2,000년의 시작이었다.

Re.See.Pic_ Vol.4
photographer

온동훈

fatihohn@gmail.com

instagram.com/donghun_ohn

이란 테헤란(Tehran, Iran)

2017

Saul

saulphoto1976@gmail.com

instagram.com/sa_ul_photo

blog.naver.com/agiyong

홍콩·마카오(Hong Kong·Macau)

2016·2017

주한이

hanni840921@gmail.com

instagram.com/juhanyi84

인도 조드푸르(Jodhpur, India)

2016

James

dalaijames@naver.com

instagram.com/dalaijames

brunch.co.kr/@dalaijames

태국 방콕(Bangkok, Thailand)

2013~2016

조장희

jasmint_7@naver.com

instagram.com/photography_jangheejo

일본 도쿄(Tokyo, Japan)

2014

권진희

rewarding0801@hanmail.net

instagram.com/doob_jin

태국 꼬따오(Koh Tao, Thailand)

2017

허 진

lumimaster@gmail.com

instagram.com/okiobba

facebook.com/lumidraw

스페인 세고비아(Segovia, Spain)

2014

여행을 다녀오고 사진만 남은 줄 알았는데,
자세히 보니 사이사이 이야기 꽃이 피었습니다.
다시 보고 싶은 사진책, Re·See·Pic